CU00969101

T'étais qui, toi ?

Une collection dirigée par **Vincent Cuvellier**

Dans la même collection :

CHARLES DE GAULLE

LÉONARD DE VINCI

AGRIPPINE LA JEUNE

STALINE

SITTING BULL

BENJAMIN FRANKLIN

JULES CÉSAR

CATHERINE DE MÉDICIS

TOUSSAINT LOUVERTURE

ROBESPIERRE

CHURCHILL

LES PRÉSIDENTS DE LA RÉPUBLIQUE

NAPOLÉON

Éditrice : Isabelle Péhourticq assistée de Fanny Gauvin
Directeur de création : Kamy Pakdel
Conception graphique : Guillaume Berga

ISBN 978-2-330-01981-5
Loi 49-956 du 16 juillet 1949 sur les publications destinées à la jeunesse

T'étais qui, toi ?

LOUIS XIV

Vincent Cuvellier

illustrations de
Marion Puech

ACTES SUD JUNIOR

NE FFROUVEZ-FOUS FAS QUE VE RAYONNE AUVOURD'HUI ?
J'ALLAIS LE DIRE, SIRE...

SOLEIL SANS DENTS

Il approche de la soixantaine. Pas très grand, un ventre devenu gros à force de manger comme un ogre, chauve, le corps usé par les excès, les maladies, il se déplace la plupart du temps dans une sorte de petite chaise à roues, poussée par un valet. Il n'a plus de dents. Si. Une. En haut. Son palais est défoncé. Pas son palais de Versailles, son palais de la bouche, à cause de l'opération d'un abcès à la dent qui lui a emporté une partie de la mâchoire. Du coup, quand il boit, la moitié de l'eau ou du vin coule par son nez.

C'est le Roi-Soleil. Louis XIV. Le grand roi.

Alors, c'est ça, le Roi-Soleil ? Un vieil homme mal foutu, abîmé, déglingué de partout ? Qu'est-ce qu'il lui est arrivé ? Rien. C'est la vie, c'est tout. L'usure du corps. L'usure du pouvoir. Lui qui a passé son existence à se mettre en scène est rattrapé par la réalité.

Mais attention, ce n'est pas un homme fini, loin de là. Louis XIV est plus que jamais le roi absolu, le centre de tout dans son royaume. Celui qui tient son pouvoir de Dieu et de Lui seul.

Il se souvient sans doute des années 1660, quand il était jeune, beau, sûr de lui, que toutes les plus belles filles le convoitaient. Il se retourne vers sa seconde femme, Mme de Maintenon, qui elle aussi a été belle, et il sourit.

Il se sent bien, finalement, malgré l'âge et le poids des responsabilités. C'est qu'il a deux vies : celle de Versailles, où chacun de ses gestes, chacun de ses mots est attendu, analysé, disséqué... et celle de l'intimité de sa chambre ou du château de Marly, où il peut se laisser aller et connaître la douceur de la vie de famille.

Il est roi, il l'a toujours été depuis qu'il a un peu moins de 5 ans. Dès cet âge, on se prosterne devant lui, on applaudit à la moindre de ses phrases. On paie très cher le privilège de le voir faire caca sur sa chaise percée. Il est roi, des pieds à la tête, de sa naissance à sa mort. Il est roi jusqu'au bout des ongles. Le Roi-Soleil. Un soleil sans dents.

SOLEIL NAISSANT

Pour tout le monde, Louis XIV représente la France, et Versailles est LE symbole du bon goût français. Louis XIV est roi de France et donc le premier des Français. Si Louis XIV n'est pas français, personne ne l'est.

Bon, regardons de plus près : son grand-père, Henri IV, était roi de France, mais avant ça, il était roi de Navarre, un petit pays collé à l'Espagne. Sa grand-mère, Marie de Médicis, venait de Florence, une ville d'Italie. Du côté de ses autres grands-parents, le papa et la maman d'Anne d'Autriche, sa mère, c'est pareil : Philippe III était espagnol et Marguerite autrichienne.

MARGUERITE D'AUTRICHE
PHILIPPE III
MARIE DE MÉDICIS
HENRI IV
ANNE D'AUTRICHE
LOUIS XIII
LOUIS XIV

Aujourd'hui, Louis XIV serait donc à peine français. Il devrait peut-être aller à la préfecture pour faire vérifier ses papiers, aurait une pointe d'accent et ne pourrait sans doute pas voter aux élections !

Mais à l'époque, pour un prince, ce n'était pas ça qui comptait le plus : l'essentiel, c'était d'appartenir aux plus grandes familles d'Europe et d'avoir dans ses ancêtres les plus grands rois. Alors on mariait les enfants de rois entre eux ! On se disait aussi que ça pouvait éviter des guerres, ramener des territoires ou rapporter de l'argent.

C'est ce qui est arrivé à son papa, Louis XIII, fils du roi de France, qui, à 14 ans, a dû se marier avec Anne d'Autriche, la fille du roi d'Espagne, même âge. On les avait mariés, mis au lit, et regardés attentivement pour être bien sûrs qu'ils couchent ensemble... à 14 ans ! Les deux gamins ont été traumatisés et ont mis des années avant de retourner dans le même lit.

Pour faire un enfant, on a vu mieux. Et un roi sans enfant, c'est un vrai problème. Qui sera roi s'il meurt ? Hein, qui ? Gaston, le petit frère de Louis XIII, débauché, corrompu. Ce serait une catastrophe pour le royaume de France, qui se remet doucement de dizaines d'années de guerres civiles...

Et puis Louis XIII n'a pas l'air de trop aimer les dames, ou alors de loin. Avec sa femme, c'est au mieux l'indifférence, au pire la franche détestation. Et il faut recourir à une ruse pour que les deux époux se retrouvent pour ainsi dire "coincés"... presque obligés de coucher ensemble.

La scène se passe en 1637, alors que les deux époux ont déjà 36 ans... Le roi est à la chasse. Un orage éclate. Tiens, si on allait s'abriter dans un petit château, à deux pas d'ici. Toc toc. Oh, la reine y est déjà : quel hasard.

Quand la reine tombe enceinte, son mari est tellement content qu'il décide d'en faire un jour férié, en l'honneur de la Vierge Marie qui a aidé au miracle : ce sera l'Assomption, qui est toujours célébrée aujourd'hui !

Quelques mois plus tard, un enfant naît : Louis-Dieudonné. Cette version est en tout cas la version officielle, la belle histoire. Elle n'empêchera jamais les rumeurs qui démentent que Louis XIII est bien le papa de Louis XIV. Des mauvaises langues affirment que ce serait en fait le cardinal Mazarin, ami proche d'Anne d'Autriche.

VOULEZ-VOUS DEVENIR... EUH...
SON PARRAIN?

PETIT SOLEIL

Ça y est, Louis est né. Il était temps, car son père meurt assez rapidement. Il devient donc roi de France à 4 ans et demi sous le nom de Louis XIV. Cinq jours plus tard, son cousin gagne la grande bataille de Rocroi. On y voit un signe. Un bon signe.

On s'en doute, ce n'est pas l'enfant qui dirige le pays mais, officiellement, sa mère qui a réussi à se faire confier la régence et a nommé immédiatement le cardinal Mazarin, le parrain du jeune roi. Entre parenthèses, ces deux-là s'aiment beaucoup. On les dit amoureux. Ils sont en tout cas très proches.

Louis-Dieudonné n'est pas élevé comme les autres enfants, même les plus riches, même les plus nobles. Il n'est pas un fils de comte ou de maréchal, il n'est même pas prince ou héritier. Il est bien plus que ça : il est roi. Et tout le monde le lui fait bien sentir. Le disputer ou lui donner une fessée comme à tous les enfants du monde n'empêche pas qu'il soit tout de même le roi.

Attention, hein, il ne joue pas au roi, il ne tient pas un rôle. Non, c'est bien lui le roi, et à chaque instant de sa vie. Toute sa vie, de ses 4 ans et demi à ses 76 ans, il sera roi et n'aura de comptes à rendre qu'à Dieu. C'est Dieu qui l'a voulu roi, et Louis XIV le sait depuis sa petite enfance. C'est comme ça et pas autrement !

À l'âge où les enfants d'aujourd'hui vont à l'école maternelle, il doit tenir ce qu'on appelle un lit de justice. Dire de grandes phrases qu'il comprend à peine devant les plus puissants seigneurs du royaume. Être le roi.

Pour son petit frère Philippe, le cardinal Mazarin et Anne d'Autriche semblent avoir eu une drôle d'idée : ils l'élèvent comme si c'était une fille, encourageant son goût pour les robes et les poupées, ne lui apprenant surtout pas ce qui fait l'éducation d'un garçon… Ils se disent que comme ça, il restera inoffensif et n'essaiera pas de piquer le trône à son frère. Ils ont en tête l'exemple de Gaston d'Orléans, le frère de Louis XIII qui a passé sa vie à comploter contre celui-ci.

Louis-Dieudonné et son frère, qu'on appelle Monsieur, sont élevés dans un palais. Mais jusqu'à 7 ans, à cette époque, on ne fait pas trop attention aux enfants... Ce ne sont pas des petits animaux, faut pas exagérer, mais ce ne sont pas non plus des personnes à part entière. Confiés à des gouvernantes, ils jouent avec les enfants des femmes de chambre... Mais comment jouent les autres enfants quand ils savent qu'ils jouent avec le roi ?

Anne d'Autriche veille. Et quand la petite fille d'une servante s'amuse à faire la reine et le petit Louis son valet, elle met aussitôt son veto : même pour rire, son fils n'est le valet de personne ! Changez de jeu !

D'ailleurs, on envoie bientôt au palais d'autres enfants de seigneurs, comme ça

Louis et son frère jouent avec des enfants de haut rang. Mais un enfant reste un enfant, et tout roi qu'il est, Louis XIV se dispute souvent avec son petit frère, allant même un matin jusqu'à lui cracher et lui faire pipi dessus !

Philippe est vif, marrant, brillant. Louis est déjà sérieux, concentré, réfléchi. Un vrai roi, quoi.

À 7 ans, changement radical, Louis XIV passe du côté des hommes. Autrement dit, fini l'enfance. On le retire des jupes des servantes. Il devient un adulte miniature, sa véritable éducation commence, d'autant que c'est son parrain, le premier ministre Mazarin, qui en a la charge.

Louis devient un homme. Et un homme, ça apprend à se battre. À faire la guerre.

Alors, il se fait appeler Lafleur. C'est le nom qu'il s'est donné, son nom de guerre. Avec son petit pistolet, sa petite épée, il défend son petit fortin, assiégé par ses petits ennemis.

Toute sa vie, Louis XIV fera la guerre. Et semblera aimer ça. À l'époque, ça fait complètement partie de la fonction royale. Et dès son plus jeune âge, on l'encourage à apprendre cet art. Ça tombe bien. Une guerre, Louis XIV va bientôt en connaître une vraie.

SOLEIL FRONDEUR

Louis XIV a une dizaine d'années. Les mois qui suivent vont le marquer à jamais. Tout son règne, tout ce qui va suivre peut être lu à la lumière de ces événements.

Ils sont restés dans l'histoire sous le nom de "Fronde", comme la petite arme dont se servent les enfants, une sorte de lance-pierre. C'est une période compliquée à expliquer, parce qu'elle ne ressemble à rien de connu. Ce n'est pas une révolution, dans le sens où ses acteurs ne souhaitent pas changer le monde, mais au contraire veulent qu'il reste comme avant. Une révolte ? Oui, si l'on veut. Mais pour une fois, ce ne sont pas les plus

UNE FRONDE ?!
APPELEZ-ÇA COMME VOUS VOULEZ MAIS JE NE PRÉDIS RIEN DE BON...
PAN
PAN

pauvres qui contestent, mais au contraire les grands bourgeois, les hommes de loi, les nobles, jusqu'aux propres oncles, cousins, cousines du roi !

Une chose est sûre, c'est que les périodes de l'histoire où le roi est un enfant sont toujours des moments compliqués. Le pouvoir est faible par nature, la reine qui veille sur le trône de son fils est, par nature, contestée. Et quand ministre il y a, comme ici Mazarin, il est toujours accusé de profiter de la faiblesse du roi.

Ce sont d'abord les juges au parlement de Paris qui refusent d'enregistrer de nouveaux impôts. Ils sont suivis par la grande noblesse, au premier rang de laquelle Condé. Un type incroyable, ce Condé, le plus grand militaire de son temps avec Turenne, génial, exubérant, prétentieux, brillantissime, fait pour être un grand roi. Mais qui n'est que le cousin du roi. Car la Fronde, c'est surtout ça :

difficile de trouver un discours politique cohérent. On a plutôt l'impression que ce sont des individus qui soutiennent leurs seuls intérêts. En gros, des égoïstes qui veulent partager un pouvoir qu'ils estiment fragile.

Mazarin, Anne d'Autriche, le petit roi et son frère, ainsi que les rares qui leur sont restés fidèles tout au long de la crise, vont tout encaisser. Les trahisons, les retournements de vestes, les insultes. Plusieurs fois, alors qu'il a une dizaine d'années, Louis XIV est obligé de fuir Paris en douce, de dormir sur la paille, de manger des restes et boire de l'eau glacée vendue à prix d'or. On peut se demander comment la monarchie a tenu, comment elle ne s'est pas écroulée à ce moment-là. Comment et pourquoi, comme cela s'est passé plusieurs fois en Angleterre, un noble plus audacieux que les autres, comme Condé, Gaston d'Orléans ou le cardinal de Retz, n'a pas renversé le petit roi, coupé la tête de Mazarin et pris la couronne.

Sans doute parce que, malgré tout, pour tous, le fait que le roi soit choisi par Dieu, et par Lui seul, les a empêchés d'aller trop loin. Le roi est sacré, et il faudra attendre 1792 pour oser briser ce tabou et tuer un souverain.

En tout cas, après avoir traversé ces épreuves, Louis XIV sera devenu un roi endurci. Bien décidé non pas à se venger des nobles mais à les tenir pieds et poings liés.

SOLEIL COURONNÉ

À 12 ans, Louis XIV entre au Conseil du roi (oui, il entre dans son propre Conseil, je sais, c'est bizarre). À 13, il est déclaré majeur (oui, je sais, ça fait jeune), et enfin, à 16 ans, il est sacré roi à Reims (oui, je sais, aujourd'hui quand on a son bac à 16 ans, c'est déjà tout un événement, alors roi de France...).

Plus tout à fait un enfant, pas encore un homme. Un ado. Qui en jette. Qui en impose à tout le monde. C'est que, pour son sacre, il faut en mettre plein la vue. La Fronde est à peine éteinte. Les grands seigneurs ne sont pas encore tout à fait calmés. Il faut marquer les esprits. Tout le monde est frappé par le sérieux et le contrôle de soi du jeune roi. Il est jeune mais il sait ce qui se passe. On lui donne le sceptre, la couronne, tous les attributs de sa puissance. On lui pose en plusieurs endroits du corps une sorte de pommade. C'est cette pommade, l'huile de la sainte ampoule, apportée selon la légende par un ange transformé en colombe, qui est son lien direct avec Dieu et qui donne à tout roi de France, bon ou mauvais, son côté surnaturel, magique, sacré.

D'ailleurs, à la sortie du sacre, Louis XIV va apposer ses mains sur deux mille malades, comme l'ont fait tous les rois avant lui, comme ils le feront jusqu'à Louis XVI... En effet, les rois ont la réputation d'être thaumaturges, c'est-à-dire de soigner, par simple toucher, les plaies, blessures et certaines maladies. Après tout, il y a encore maintenant dans les campagnes des gens capables de "passer le feu" (calmer la douleur due à une brûlure) ou

de guérir l'eczéma... Le jour du sacre, on fera aussi libérer six cents prisonniers.

Louis XIV est donc roi, majeur, et en principe il devrait gouverner. En vérité, il est trop jeune, et c'est toujours Anne d'Autriche et surtout Mazarin qui dirigent le pays. Mais Louis-Dieudonné est intelligent. Il observe, il apprend et si on le trouvait un peu lent et mal dégrossi durant son enfance, son entourage est en train de comprendre quel souverain il va devenir. Un homme posé, réfléchi, ayant une très haute idée de lui-même et de son rôle sur terre, mais aussi capable de chaleur avec ses proches et, malgré tout ce qu'on a écrit sur lui, relativement sensible.

Est-ce l'époque tout entière qui chouine à tout-va ? Toujours est-il que Louis XIV a la réputation de pleurer très facilement... Après tout, il arrive qu'il y ait un grand soleil et qu'il pleuve en même temps. Ça fait des arcs-en-ciel. C'est joli, les arcs-en-ciel.

Et des crises de larmes, il y en a eu à cette période... Louis XIV est amoureux. D'une très jolie jeune fille de son âge, Marie Mancini, une des nièces de Mazarin. Ce n'est pas sa première copine, non, la reine a déjà organisé à son intention des parties de galipettes pour lui faire son éducation sexuelle, mais on dirait aujourd'hui que c'est sa première copine sérieuse. Un peu trop sérieuse, d'ailleurs. Les voilà qui veulent se marier, tous les deux. Panique au Louvre ! Pour Anne d'Autriche et Mazarin, ce serait la cata ! On n'a jamais vu de rois se marier par amour. Un mariage doit être l'occasion de faire la paix, de faire la guerre, de gagner un territoire, des sous, du prestige, de s'allier avec une famille, mais en aucun cas d'être heureux. Si les mariés s'entendent bien, tant mieux, mais ce n'est pas du tout le plus important.

Les amoureux insistent. Mazarin s'énerve. Il fait monter sa nièce dans un carrosse, et direction l'ouest de la France. Non mais ! Et on va passer aux choses sérieuses : un mariage du roi avec sa cousine espagnole, par exemple. En fait, pour être exact, la France passe un traité avec l'Espagne, et l'un des points de ce traité est que Louis épouse Marie-Thérèse d'Autriche, l'infante d'Espagne. Un autre point stipule qu'aucun des descendants des deux époux ne pourra jamais être roi d'Espagne.

SOLEIL RÉGNANT

Mazarin est le mort le plus riche de France. Ça y est, le ministre a cassé sa pipe. Louis régnait, il va gouverner. À la surprise générale, il décide de ne pas reprendre de premier ministre. Il va s'occuper des affaires lui-même. Bien sûr, ça ricane. Il est sans doute plutôt doué, notre roi, mais un peu tendre encore. Il a du talent pour la danse, c'est vrai, il montre un caractère très fort, mais ce n'est pas ça qui fait un vrai roi.

Alors Louis doit frapper un grand coup. Il ne peut pas faire un coup d'État, vu que l'État c'est lui, mais il peut au moins montrer qui est le chef.

Colbert, un homme de confiance de Mazarin, a décidé de démolir Fouquet, le surintendant des Finances, l'équivalent du ministre de l'Économie aujourd'hui. Il a préparé un rapport au roi où il explique que Fouquet, depuis des années, confond les caisses de l'État avec les siennes. Franchement, c'est un peu hypocrite de la part de Colbert, vu que Mazarin avait amassé une fortune colossale en usant des mêmes méthodes, et que Colbert en avait bien profité. Mais c'est de la politique, pas de cadeau, Colbert a décidé d'avoir la peau de Fouquet, il va l'avoir, point barre.

Fouquet est intelligent mais pas très finaud. Alors qu'il est déjà dans le collimateur du roi, il ne trouve rien de plus malin que de l'inviter dans son château de Vaux-le-Vicomte. Un château sublime, une fête sublime, un repas sublime. Le roi ne desserre pas les dents de tout le séjour.

Quelque temps plus tard, le jour de ses 23 ans, le roi demande à d'Artagnan d'arrêter Fouquet. Ensuite, avec Colbert, ils organisent un procès complètement truqué, où le pauvre Fouquet peut à peine se défendre. Ses amis sont inquiétés. Certains le défendent, comme Jean de La Fontaine. On accuse Fouquet de s'être rempli les poches mais aussi d'avoir préparé un plan de rébellion contre le roi... Il est condamné à une peine relativement légère : tous ses biens sont confisqués et il doit quitter la France. Mais Louis XIV fait un truc qui n'existe pas en justice : il use de son droit de grâce, non pour le gracier, mais pour alourdir sa peine : Nicolas Fouquet est enfermé dans une forteresse jusqu'à sa mort qui aura lieu seize ans plus tard.

Louis XIV, Colbert et le chancelier Séguier se sont acharnés sur le ministre, même si celui-ci était loin d'être innocent. Louis XIV sait être dur quand il faut. C'est sur le dos de Fouquet qu'il est vraiment devenu roi. Et Colbert vraiment devenu ministre.

Ça y est, Louis XIV est maître de tous les leviers du pouvoir. Très habilement, il nomme des hommes qui ne sont pas des nobles, mais des bourgeois riches, aux plus hautes fonctions. Ces hommes, Colbert (chargé des finances) et son clan d'un côté, et Louvois (chargé de la guerre) et son clan de l'autre côté, vont aider le roi pendant des dizaines d'années. Mais Louis XIV joue très habilement de la haine de ces deux rivaux. Dès que le clan Colbert monte trop haut, hop, il avantage le clan Louvois, et vice versa. Et comme en plus Colbert et Louvois se détestent, rien de plus facile...

Colbert va donner son nom à une doctrine économique, le colbertisme. Ça consiste (en gros, n'est-ce pas) à diriger l'économie nationale. Il encourage les créations d'entreprises publiques ou privées, et désavantage fortement la concurrence étrangère à coups de taxes et de protectionnisme aux frontières. Il fait venir aussi les meilleurs ouvriers d'Europe. Et il crée, à partir de presque rien, une marine qui va devenir l'une des plus puissantes du monde. Il reste encore en France quelques traces du colbertisme : la Manufacture des Gobelins, Saint-Gobain, l'Administration des forêts...

Et puis des codes. Eh oui, il faut tout réglementer. Pour que tout le monde obéisse au roi, il faut que tout le monde ait les mêmes lois. Alors c'est l'époque, comme plus tard sous Napoléon, où on fait des codes pour tout. Le Code Louis, qui répertorie les lois, le Code de la marine, le Code de la forêt et surtout le Code noir. Ce registre de lois censé protéger les esclaves africains contre les mauvais traitements, les considère en réalité comme des objets ou des meubles. Il faut vous dire qu'à cette époque, la France ne se ressemble pas du tout d'une région à l'autre : chacun sa langue, chacun ses lois, chacun ses habits. Le roi est

d'ailleurs souvent le seul point commun de ces gens qui se sentent sans doute des étrangers les uns pour les autres. Alors, on fait des lois.

Je vais essayer de vous décrire rapidement le pouvoir. En haut, tout en haut, le roi. C'est un roi qui brille, mais c'est aussi un roi qui décide, qui tranche, qui prend ses responsabilités. Autour de lui, les membres de sa famille, d'abord sa mère, puis son frère, sa femme, ses cousins, puis ses enfants et ses petits-enfants... En réalité, ils n'ont quasiment aucun pouvoir. Bien sûr, il est préférable d'être dans leurs petits papiers, parce qu'ils sont proches du roi.

Ensuite, il y a les ministres. Surtout deux d'entre eux : Colbert et Louvois. Et ceux qui font tourner la machine. Les collecteurs d'impôts, les gouverneurs, les juges, les responsables de ceci, les chefs de cela... Il y a des milliers de charges en France : on achète le droit d'exercer une profession ou bien on en hérite. Et puis, il y a les nobles. Ils ne travaillent pas. Déshonorant. Ils laissent ça aux bourgeois. Les bourgeois qui, du coup, font fortune et ne rêvent que de devenir nobles. C'est l'histoire du *Bourgeois gentilhomme* de Molière. Pour comprendre les mentalités de l'époque, rien de tel que d'aller voir une pièce de Molière... Celui-ci ne craint pas de s'attaquer à tout le monde. Sauf au roi, bien sûr.

La noblesse, donc. Au début du règne, Louis XIV est bien décidé : la Fronde, les grands seigneurs et la noblesse qui se révoltent, plus jamais ça. Mais au lieu de les combattre ou les contraindre, il a trouvé un moyen de les rendre inoffensifs : il va en faire des pantins ridicules.

Après les guerres de religion, Henri IV avait demandé aux nobles de ranger leurs armes, de retourner dans leurs châteaux et de s'occuper de leurs terres. L'agriculture et l'élevage avaient repris. Sous Louis XIII, la noblesse, faute de guerres où afficher sa bravoure, s'était montrée nerveuse, excitée. Le roi et Richelieu avaient interdit les duels, pour empêcher l'élite de s'entretuer. Les nobles, parfois menés par la mère et le frère du roi, avaient passé tout le règne à monter des complots, dont certains auraient pu renverser Louis XIII, ni plus ni moins.

Tout cela, Louis XIV l'avait bien en tête quand il a commencé à régner. Les épreuves de son enfance, plutôt que de l'affaiblir, l'avaient renforcé. Dès son adolescence, il avait commencé à se mettre en scène dans des spectacles, en soleil, où des membres de sa famille devaient jouer le rôle d'autres planètes qui tournaient autour de lui. Mais

ce n'était pas suffisant. Le roi décida de faire de sa vie une œuvre, où chacun de ses moments serait vu, commenté, désiré. Où des gens se battraient pour le voir faire caca. Où des femmes tomberaient dans les pommes en regardant le roi manger.
Il allait faire un truc incroyable, effroyablement cynique : les plus grands personnages du royaume, sa famille proche même, allaient s'humilier et s'endetter pour vivre dans l'ombre du roi.

Versailles est fait pour ça. Pour servir de décor à ce grand spectacle que le roi veut faire en permanence. Tout doit tourner autour de lui : le temps, l'espace. Le roi est le centre de tout.

On l'a souvent raconté : Versailles, au début, c'est le petit pavillon de chasse de Louis XIII,

sa maison de campagne, quoi, où il va, uniquement entre hommes, se détendre. Ce n'est pas tout près de Paris. Pas trop loin non plus (17 kilomètres). Il y a surtout des marais, des moustiques, des forêts, rien de formidable... Mais un roi, ça peut tout, et en premier lieu dompter la nature.

Pour commencer, il fait raser le vieux village, la vieille église, tout ce qui rappelait le passé. Il demande tout de même à conserver

la façade du manoir de son père, ce que beaucoup d'historiens prendront pour une preuve d'attachement à Louis XIII. Et les travaux commencent. Ils durent plus de vingt ans, ne s'arrêteront jamais vraiment. Le modèle est le château de Vaux-le-Vicomte de Fouquet. D'ailleurs, Louis XIV fait travailler les architectes et paysagistes de celui-ci. Mais avec Versailles, Louis XIV, qui suit les travaux de très près, permet l'aboutissement d'un style, le style classique.

Autour du château aussi, on construit : il faut loger les artisans, les nobles, leur personnel, les cochers, les commerçants. Bref, il s'agit d'une ville nouvelle, dont toute la vie est centrée autour du château, donc du roi.

Deux mille trois cents pièces, ça fait déjà un beau château. Et rapidement, malgré la boue, le vent et l'inconfort des premiers temps, ce sont des centaines puis des milliers de personnes qui viennent s'installer à Versailles. Tout de suite, le rituel se met en place. Les nobles, qui ont renoncé à leurs beaux palais en province pour payer à prix d'or une petite chambre de bonne dans les étages du château, se réveillent aux aurores. Selon leur rang, ils assistent au lever du roi, à la messe, à son repas. Ça dure des heures, ils doivent rester debout, l'ennui est terrible, on imagine les odeurs corporelles... Mais toute l'élite du pays ne pense plus qu'à ça : apercevoir le roi. Et, pourquoi pas, que le roi

les remarque. Celui-ci n'est pas désagréable, d'ailleurs. Il a souvent un petit mot aimable pour tel ou tel, traîne autour des tables de jeu le soir, souriant...

Ce qu'a réussi le roi à Versailles est assez terrible : toute l'élite, celle qui a été formée pour gérer les terres, mener les hommes, prendre des initiatives, perd son temps et son argent à Versailles. Elle se coupe complètement de ses pays d'origine, de ses terres, de ses paysans. Jusqu'à la Révolution, ces deux classes sociales, sans même s'opposer, resteront ignorantes l'une de l'autre. À Versailles au temps de Louis XIV, la noblesse connaît à la fois son apogée et le début de sa fin.

En attendant, le château est sublime. Il est aujourd'hui aussi célèbre que la Cité interdite à Pékin ou le Kremlin à Moscou. Et l'époque de Louis XIV est considérée, en France et à l'étranger, comme un âge d'or.

Mais les Français ne sont pas tous rois, et Versailles n'est pas la France.

Cela s'est toujours passé comme ça dans l'histoire. Un matin, un roi, un président, un ministre, se réveille et se dit que décidément, c'est un peu trop le bazar. On appelle ça les périodes de réaction. Elles suivent souvent des périodes de liberté.

C'est dans l'air du temps, Louis XIV et les élites ne supportent plus Paris et la (relative) liberté qui y règne. La police est chargée d'arrêter tous les mendiants, les handicapés, et de les enfermer dans des hôpitaux nouvellement créés (un dans chaque grande ville de France). Les gitans aussi sont persécutés : les hommes sont condamnés aux galères. Pour rien, juste parce qu'ils sont gitans. Quant aux femmes et aux enfants, on leur coupe les cheveux et, parfois, on les enferme aussi dans ces fameux hôpitaux, qui ressemblent plus à des prisons qu'aux hôpitaux d'aujourd'hui.

Dans les villages, dans les villes, on commence à laisser tomber certaines traditions, certaines fêtes du Moyen Âge. La religion devient de plus en plus proche de celle de Rome, les vieilles superstitions disparaissent. Quelque part, c'est la fin d'une époque, et le début de l'âge classique.

Louis XIV, dans son désir d'ordre, nomme un lieutenant général de police, La Reynie. Il a pour mission de faire disparaître les fameuses "cours des miracles", sortes d'organisations secrètes de la truanderie et de la mendicité. Pendant trente ans, ce sont des milliers d'hommes, de femmes et d'enfants qui seront envoyés aux galères, marqués au fer rouge, ou enfermés dans des hôpitaux. Paris est devenu propre, mais pas assez pour le roi, trop heureux de quitter le Louvre et de s'installer à Versailles, dès que l'avancée des travaux le permet.

Mais la morale est toujours pour les autres : pendant que Louis XIV interdit la mendicité, le nomadisme et la prostitution, pendant que les mœurs et la religion sont soigneusement réglementées, il ne se gêne pas pour passer du bon temps. C'est un bel homme d'une trentaine d'années, en pleine possession de ses moyens. Et s'il fait de nombreux enfants à sa femme, Marie-Thérèse (un seul atteindra l'âge adulte, Louis, le Grand Dauphin), il a plein de copines. Pour un roi, on dit des favorites.

Il y a d'abord la gentille Mme de La Vallière, puis l'ambitieuse Mme de Montespan. Il leur fait des enfants. Il se paie même le luxe de reconnaître ceux-ci. Tout le monde est au courant, à commencer par Marie-Thérèse, qui supporte en silence. Et si jamais il culpabilise trop, il fait quelques prières et le tour est joué.

Il y a bien quelque chose qui le chiffonne... Ce sont les protestants. Cette liberté de conscience que leur a donnée son grand-père Henri IV, ça ne lui plaît pas du tout. Il aimerait que tous ses sujets aient la même religion. Notons pour être honnête que c'est la règle dans tous les pays du monde : la France est plutôt une exception dans une Europe où la tolérance n'est qu'une vague idée.

Louis XIV réfléchit ; l'idée d'unifier religieusement son pays va prendre forme.

En attendant, le roi fait la guerre, s'appuyant un coup sur les protestants, un coup sur les dévots, un coup sur qui ça l'arrange.

MAGNIFIQUE !!

SOLEIL GUERRIER

C'est inscrit dans ses gènes. Dans son éducation. Sa culture. Un roi n'est vraiment roi que s'il fait la guerre. Un roi, c'est César, c'est Alexandre, c'est Philippe Auguste, ce n'est pas Louis XI. Alors Louis XIV va faire la guerre pendant la majeure partie de son règne. Les raisons de ces guerres paraissent aujourd'hui obscures. Pourtant elles répondaient à une logique de l'époque. Dans la logique des rois, ne nous y trompons pas, les populations n'étaient que des pions qui n'y comprenaient rien.

La première guerre du roi adulte est appelée la guerre de Dévolution. Elle se déroule en 1667 et 1668. Quand le roi d'Espagne meurt,

Louis XIV réclame, au nom de sa femme Marie-Thérèse (la fille du roi d'Espagne, donc), des villes qui appartiennent à l'Espagne et qui se trouvent à la frontière de la France et de la Belgique actuelle. Le problème de Louis XIV, c'est surtout que la France est entourée par l'Espagne ou des pays qui appartiennent à celle-ci. Il essaie donc de rompre l'encerclement. Après le siège de plusieurs villes de Flandre, où Vauban, un architecte militaire, commence à se faire remarquer, Louis XIV conquiert pour son royaume toute une partie du nord de la France, avec Lille, Douai et Valenciennes.

Quatre ans plus tard, Louis XIV, allié pour l'occasion à l'Angleterre, déclare la guerre à la Hollande. Aujourd'hui encore, quand on regarde les causes de cette guerre, on a du mal à comprendre : déjà, la France et la Hollande sont alliées. Mais la Hollande, petite république protestante, est dynamique, son économie cartonne. Louis XIV et son ministre

de la Guerre, Louvois, veulent tout simplement réduire sa puissance commerciale. Quoi de plus efficace que de les attaquer ? Et puis c'est aussi l'occasion pour Louvois de montrer son pouvoir et ses talents au roi. Bref, tout dans cette guerre sent l'injustice. Plus puissants, les Français gagnent rapidement les batailles et avancent dans le pays. Mais les Hollandais utilisent une botte secrète. Pour protéger leurs terres de la mer, ils avaient construit des digues. Ils les brisent : les Français sont coincés par la montée des eaux et tout le pays est inondé. Mais, en représailles, les Français font des massacres, et Louis XIV gagnera son image de roi cruel qui met l'Europe à feu et à sang.

Le roi ouvre un second front et attaque l'Alsace et la Franche-Comté. Victoires et défaites s'enchaînent, mais Louis XIV a réussi à dresser contre lui presque toute l'Europe. En 1678, soit six ans plus tard, il juge la situation favorable pour signer un traité de paix. Il y gagne la Franche-Comté, la ville de Besançon, et le surnom de Louis le Grand. Plus personne en Europe ne peut lever le petit doigt sans que Louis XIV n'ait son mot à dire.

En 1683 débute une guerre courte contre l'Espagne, où la France va encore une fois s'imposer et étendre son influence.

Ce ne sont pas des guerres simples. Il ne s'agit pas uniquement pour le roi d'attaquer une ville, de gagner, et de dire que la ville est française. Non, c'est bien plus compliqué : durant toutes ces guerres, le roi gagne, perd, rend des villes gagnées, en garde d'autres, mais surtout il attend le bon moment pour imposer la paix à ses ennemis et ainsi garder

ce qui l'arrange et rendre les territoires qui ne l'intéressent pas. C'est une sorte de Monopoly géant. Un Monopoly où on se fiche complètement des habitants et des soldats qui, de toute façon, sont là pour se faire tuer...

Le roi se rêve en chef de guerre. Alors, parfois, il se déplace, la cour derrière lui, habillé en César. Il prend même quelques menus risques. Mais ne rêvons pas, il est là pour la parade. Bien sûr que le roi de France ne peut pas risquer sa vie sur un champ de bataille. Mais au moins, cela fait de beaux tableaux qu'il pourra accrocher dans la galerie des Batailles, à Versailles.

SOLEIL AMOUREUX

Le roi a la belle quarantaine. Il n'est plus un jeune homme superbe et pas encore un vieux roi usé. Il est un souverain sûr de lui, à qui tout réussit. Il est tellement roi qu'il n'a même pas besoin d'être autoritaire.

Il sort d'une liaison avec la belle Mme de Montespan. Une femme très belle mais aussi très ambitieuse. Que le roi soit amoureux d'elle, c'est la chance de sa vie. Et elle en profite. Un peu trop, car elle sera disgraciée après avoir fait sept enfants au roi. Des enfants que le roi adore. Il va les voir parfois. Il s'assied et les regarde jouer. Mme de Montespan n'est pas très maternelle. C'est Françoise qui s'en occupe.

Françoise d'Aubigné, dite Mme de Maintenon. Une femme étonnante. Née en prison, à cause des dettes de son père, elle est recueillie par une tante huguenote et passera six années en Martinique. Jeune femme très pauvre, elle se marie avec un vieux poète libertin, Scarron. Discrète, calme, pieuse. Le roi et elle s'entendent bien. De mieux en mieux... Ils parlent et se découvrent des atomes crochus. Louis XIV se sent proche de cette femme jolie sans être belle, intelligente, réfléchie et très religieuse. Ils sont d'abord amis, puis deviennent amoureux. Pas une passion dévorante, comme les autres relations amoureuses du roi, non... une relation calme, apaisée, presque normale.

Louis XIV se sépare de Mme de Montespan, mais reconnaît les enfants qu'il a eus avec elle. Et en 1683, la reine Marie-Thérèse meurt. Le roi a 45 ans. Il n'a pas besoin de se remarier avec une princesse ou une reine. Il a un héritier, le Grand Dauphin. Il peut alors faire ce que les rois ne font jamais : un mariage d'amour. Certes, le mariage reste secret, mais tout de même. Louis et Françoise vont vivre ensemble le reste de leur vie, tranquilles, presque comme des bons bourgeois. Mme de Maintenon a l'intelligence de ne pas se mêler de politique. Mais son influence est visible. Le roi devient de plus en plus croyant. Peut-être culpabilise-t-il de tous les écarts qu'il a faits quand il était jeune ? En tout cas, il ne rate plus une messe, prie sans cesse, et s'intéresse de plus en plus aux affaires religieuses de son royaume. Il y a toujours ce problème qui le tracasse... les protestants. Comment tolérer que tout le monde ne soit pas catholique dans son royaume... ?

C'est un véritable cas de conscience pour le roi. Heureusement, Louvois, ce bon Louvois, s'en occupe. Il lui rapporte de nombreuses conversions, notamment dans les Cévennes. Les protestants deviennent volontairement catholiques. Bien sûr, la réalité est très éloignée, et la plupart des conversions sont forcées. Louvois a imaginé un moyen efficace : les dragonnades. Le principe est simple. Il envoie l'armée dans les zones protestantes. Les soldats se contentent de vivre et de profiter du pays. En gros, ils agissent à leur guise, se servent à manger, choisissent les filles qu'ils veulent, dorment où ça leur chante. On ne compte plus les abus, les drames, les meurtres. C'est étudié pour. Les paysans, fatigués, se convertissent. Et si c'est trop long, les dragons fondent sur le village et massacrent tout le monde.

Mais bientôt, ça ne suffit plus. Le roi vit la division de son royaume comme un drame.

Alors, il prend une des décisions les plus lourdes de conséquences de son règne : il révoque l'édit de Nantes. Cet accord, l'édit de Nantes, avait été signé par son grand-père, Henri IV, pour mettre un terme aux guerres de religion qui avaient duré des dizaines d'années. Il donnait plusieurs privilèges aux protestants et, surtout, il accordait la liberté de conscience en France. Chacun avait le droit de choisir la religion qu'il voulait. Inutile de dire que cette liberté était quasiment unique au monde à cette époque.

Louis XIV clôt donc cette période de relative tolérance : il est désormais interdit d'être protestant en France. Et, pour favoriser les conversions, interdiction est faite de quitter le royaume. Les fuyards sont envoyés aux galères ou tués.

Mais des milliers de protestants émigrent en Hollande, en Allemagne, en Suisse, certains partent pour les Amériques, l'Afrique du Sud, d'autres se feront même pirates des Caraïbes ! Ce qui est sûr, c'est que la France perd une main-d'œuvre et une élite intellectuelle.

Cependant, l'essentiel pour le roi est accompli : il ne reste dans son royaume que des catholiques. Pour comprendre le système de pensée de l'époque, il faut bien se rappeler que le roi se sent redevable de ses actes directement devant Dieu. Il craint d'être damné s'il ne fait pas ce que Dieu veut. Et si l'Europe entière est choquée par la décision de Louis XIV, en France, le peuple comme les élites approuvent largement leur roi. Aujourd'hui, avec le recul du temps, cette décision apparaît comme une des grandes erreurs du règne, une faute morale et politique.

Les premières années de Versailles ont ressemblé à une grande fête. Le roi était jeune, beau, ses amis aussi, les femmes jolies et audacieuses, chacun avait conscience d'appartenir à l'élite du monde. Puis, toute cette société a vieilli, la fête est devenue mécanique, le rituel empesé. Et la rigueur morale s'accentuant, le roi devenant de plus en plus prude, l'ambiance de la cour s'est alourdie. L'ennui s'est imposé. Je vais vous décrire une journée type, autour des 50 ans du roi, mais cela pourrait être avant ou après...

Le roi se lève à 7 h 30. Tous les matins, comme n'importe lequel d'entre nous qui met son réveil à sonner, prend son petit déjeuner et court après le bus pour aller au collège ou au boulot… sauf que… il y a un peu plus de monde dans la chambre du roi.

D'ailleurs, c'est son valet de chambre qui le réveille. Oui, parce que le roi a, en permanence, un valet à ses côtés. C'est dur à imaginer mais, durant toute sa vie, Louis XIV n'a quasiment jamais été seul. Le valet fait donc

entrer quelques autres valets, dit "Sire, c'est l'heure", puis introduit deux médecins. On discute, prend des nouvelles, puis vient le Premier Gentilhomme de la Chambre du Roi. Il ouvre les rideaux. La journée commence vraiment. C'est la grande entrée. La famille royale, les princes, les officiers. Ils ont la chance de voir le roi tremper ses lèvres dans du vin, prier, choisir sa perruque, se faire raser. Enfin, une heure après son réveil, le roi sort de son lit. S'assied dans un fauteuil, enlève son bonnet de nuit. Son barbier lui peigne les cheveux. C'est un instant unique. On peut avoir une discussion avec le roi, lui demander quelque chose. Cet instant qui ne dure que quelques minutes est une chance unique de parler au roi de façon simple et décontractée. Puis c'est la seconde entrée. Des nobles, des courtisans de moindre importance.

Certains ont obtenu le précieux "brevet d'affaires" : ils ont le droit d'entrer dans la chambre du roi quand celui-ci est sur sa chaise d'affaires. Quand il est aux cabinets, quoi...

Le barbier pose ensuite sur la tête du roi la perruque de réveil, moins haute que celle qu'on lui posera tout à l'heure. On accueille alors le public du grand lever. Ça se pousse du coude, ça grimpe sur les talons, il y a du monde, du brouhaha, un certain bazar, même... À 9 heures enfin, le roi déjeune. Un bol de bouillon, une tisane, et on l'habille. Comme un grand, il enlève lui-même sa chemise de nuit, mais plusieurs valets l'entourent, au cas où. Son fils, le Grand Dauphin, lui apporte sa chemise propre, et le roi choisit ensuite sa cravate, son mouchoir, prend sa montre. C'est tout un cérémonial, chaque geste est mis en scène et sacralisé.

Il y aura encore une prière, à l'issue de laquelle le roi changera de perruque. Enfin, il pourra aller travailler.

Selon le jour de la semaine, il y a conseil des ministres ou simple rendez-vous. Il arrive que le roi se contente de convoquer un de ses musiciens ou un poète, pour qu'ils lui fassent un concert improvisé ou un récital de poésie. La porte reste ouverte : si Louis XIV fait un compliment, tout le monde est aussitôt au courant. Lors d'un conseil, le roi se place en bout de table, et les ministres, assis ou debout selon l'ordre du jour, l'informent des dossiers. Le roi aime travailler, traiter les problèmes lui-même, et ne prend aucune décision à la légère. Pour un choix aussi important que la révocation de l'édit de Nantes, par exemple, il a consulté longtemps ses conseillers, des intellectuels, des religieux.

À 13 heures, après le conseil des ministres ou l'audience, le roi se prépare à retourner dans sa chambre.

C'est LE moment à ne pas rater. Le roi, entouré de ses serviteurs, de ses gardes, des conseillers, des nobles, traverse tranquillement les couloirs de Versailles. Des dizaines de nobles se tiennent sur le chemin et, parfois, Louis XIV va s'arrêter devant l'un d'entre eux, lui poser une question ou lui dire un petit mot aimable. Le noble a alors quelques secondes pour dire au roi le mot qu'il faut, lui présenter sa demande, de la manière la plus claire, la plus courtoise. L'élu, celui qui pourra parler au roi, verra des années d'efforts s'accomplir dans ces quelques secondes de discussion. On imagine les enjeux, les angoisses, les déceptions, les guéguerres, les luttes d'influence... Bien sûr, il y a un autre moyen de faire des demandes au roi : il s'agit de déposer une requête sur une table prévue à cet effet. Au début du règne, le roi en lisait fréquemment et donnait ses réponses. Mais

maintenant, c'est rare. Parler au roi, c'est un parcours du combattant. Et du coup, Louis est isolé de son peuple bien sûr, mais aussi de sa noblesse.

Le roi mange seul. C'est bizarre, mais il s'assied devant sa table, face à des dizaines de courtisans triés sur le volet. S'il y a des membres de sa famille, son fils, son frère, ils restent debout et le regardent manger. Le roi peut leur proposer un tabouret. Les serviteurs

se fraient un chemin à travers les couloirs du château et, une quinzaine pour chaque plat, présentent au roi un gigot de mouton, par exemple. Le roi ne va pas manger tout le plat, mais un petit peu de chaque. Il mange énormément. Ça dure longtemps, longtemps, c'est tout un cérémonial pour chaque tranche de cochon, chaque légume, chaque fruit. En tout cas, pas de doute, on est bien en France, la gastronomie est déjà quelque chose d'important. Quatre cent quatre-vingt-dix-huit personnes ont travaillé pour le repas...

Si le roi demande à boire, c'est pareil, c'est tout un bazar. Il faut trois personnes et huit minutes pour servir un simple verre d'eau. On peut se demander comment il supportait ça. Et les nobles... comment pouvaient-ils rester debout des heures à regarder manger quelqu'un ?

Après le repas, le roi se détend quelques instants. Il se change, caresse ses chiens, se prépare pour l'après-midi. Il y a peu de monde avec lui à ce moment-là. Un conseiller, des serviteurs... puis il sort par un escalier un peu à l'écart, pour éviter la foule. Encore un moment privilégié pour glisser un document au roi ou lui adresser la parole. Louis XIV à ce moment est détendu, il part à la chasse ou à la promenade. Le roi adore la chasse. Il adore aussi ses jardins. Il aime se promener, des dames et des messieurs à ses côtés (je les imagine plutôt un peu derrière lui), admirant les plantes et les fleurs. La balade se termine souvent au bord du Grand Canal. On sort des tables, le roi invite les dames à une sorte de goûter, leur propose des confitures, des fruits, des gâteaux. L'ambiance est détendue.

De retour dans ses appartements, il change d'habits et enfile ses plus beaux costumes. Il s'installe à son bureau et travaille environ une heure. Si on est en période de crise, il convoque un nouveau conseil. Puis il rend visite à Mme de Maintenon et, deux fois par semaine, ils se rendent ensemble à la chapelle. C'est encore une occasion pour les courtisans d'aborder le roi.Une fois de plus, ce ne sont pas des rendez-vous établis, mais des rencontres dues à un hasard bien étudié...

Le soir tombe sur le palais, mais le palais ne s'endort pas, bien au contraire. C'est l'heure des Appartements : ce sont les divertissements qui ont lieu de 7 heures à 10 heures du soir. Ça peut être des jeux, de la danse, des spectacles, du billard. Le roi se promène d'une table à l'autre, dit un petit mot à chacun. Personne ne parle trop fort, tout doit être ordonné, calme, bienséant.

Puis il soupe. C'est à peu près la même cérémonie que le dîner, en plus léger. Le roi évite les plats trop lourds, pour bien dormir. Un orchestre accompagne le repas.

Il est 11 heures. Le roi va se coucher. Cela ressemble au lever, à l'envers. Enfin, on souffle les chandelles. Le roi s'endort. Le roi est enfin seul. Le palais s'endort.

TRÈS JOLIE TENUE, FRÉROT ! TU ME SURPRENDRAS TOUJOURS...
C'EST VRAI ?...
DIS DONC CHÉRI, TU VAS PAS TE REMETTRE À CHIALER QUAND MÊME !!

AUTOUR DU SOLEIL

Un roi peut-il avoir des amis ? La réponse est oui. Henri IV et Sully, par exemple, avaient forgé leur amitié sur les champs de bataille. Pour Louis XIII, de nombreux historiens pensent qu'il était amoureux de ses amis, au point de parfois faire des erreurs politiques. Pour Louis XIV, c'est différent. Il s'est à tel point placé au-dessus de la mêlée qu'on voit mal comment il pourrait avoir des relations d'égal à égal avec les gens. D'autant plus que, pendant la Fronde, il a été trahi par des membres de sa propre famille...

Dans son entourage, une des personnes les plus proches de lui est son frère, Philippe d'Orléans. Plus jeune de deux ans, c'est lui qui deviendra roi si Louis XIV meurt, au moins jusqu'à la naissance de son fils, le Grand Dauphin. D'après les témoignages, les deux frères s'entendent très bien. Bien qu'il soit marié, Philippe est homosexuel, tout le monde le sait. C'est plus facile d'être gay quand on est le frère du roi plutôt qu'un pauvre paysan lorrain... Autre proche du roi, la princesse Palatine, la deuxième femme de Philippe d'Orléans. Un phénomène. Avec son mari, ils forment le couple le plus mal assorti du monde. Lui qui s'habille en femme, qui pleure, qui aime l'art et les artistes, et elle, solide Allemande, masculine, bonne vivante, virile même. Son franc-parler détonne, et le roi l'aime beaucoup. Mais cela n'empêche pas Philippe et son épouse d'être assis comme les autres sur un petit tabouret en bois pour regarder le roi manger.

Autres proches du roi, les nobles de son âge qui ont été élevés avec lui. Louis XIV les verra toute sa vie ; même si certains le déçoivent

parfois, il leur gardera toujours son amitié. Et avec le temps, ce sont leurs enfants, puis leurs petits-enfants qui fréquentent la cour.

Dans l'entourage du roi, bien sûr, on trouve le reste de sa famille. Son fils Louis, d'abord. Il est destiné à succéder à son père, mais plus le temps passe, plus cette perspective s'éloigne. Il devient le chef de file d'une sorte de parti politique, même si bien sûr, sous une monarchie absolue, il ne peut en aucun cas être question de véritables partis. Disons que des gens qu'on appelle les dévots

– aujourd'hui on dirait catholiques traditionalistes – se réclament du Grand Dauphin. C'est un homme effacé, pas très original, mais c'est difficile de le juger tellement il a été écrasé par la personnalité de son père. On ne sait pas quel roi il aurait été ; il est mort trop tôt. Son fils, le petit-fils de Louis XIV, devient lui aussi héritier potentiel de la couronne au décès de son père. À tort, on l'a proclamé chef de file des progressistes, de ceux qui auraient pu moderniser la monarchie. Il était très influencé par Fénelon, qui fut son professeur. En tout cas, lui aussi est mort avant son grand-père et ne fut jamais roi.

En dehors de sa famille de sang, Louis XIV s'est constitué une famille de cœur. Ses maîtresses, tout d'abord, et les enfants de celles-ci. Il les a reconnus, leur arrange de bons mariages et les couvre d'honneurs. À la fin de sa vie, il ira jusqu'à les déclarer héritiers du trône, ce qui provoquera une crise profonde.

Au sommet de cette famille qu'il s'est choisie, on trouve Mme de Maintenon. On lui a attribué un grand rôle politique, notamment au moment de la révocation de l'édit de Nantes, mais il faut réviser le jugement à la baisse. Si Louis XIV écoute les avis de son entourage, c'est seul qu'il prend ses décisions. Il a une trop haute idée de sa fonction de roi pour se laisser influencer.

Ses valets, des gentilshommes de cour, ses médecins, font également partie de son premier cercle, il les a vus tous les jours pendant des années. Et des liens se sont créés. Bien sûr, le roi reste le roi et les valets des valets, mais tous les observateurs s'accordent à reconnaître que

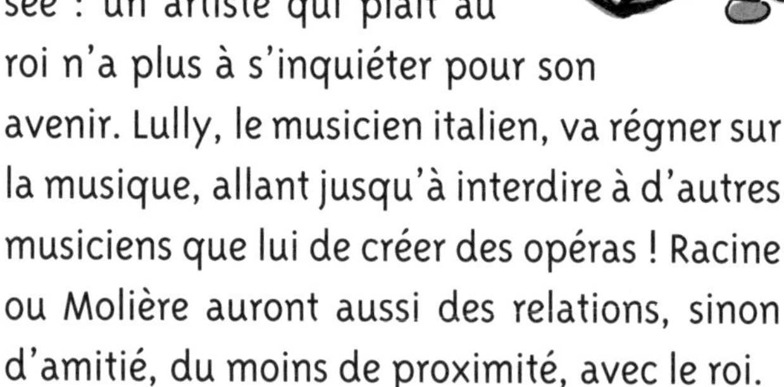

le roi se montre bienveillant et attentionné dans ses rapports quotidiens.

Sa confiance, le roi la donne facilement à des artistes. Une amitié pas tout à fait désintéressée : un artiste qui plaît au roi n'a plus à s'inquiéter pour son avenir. Lully, le musicien italien, va régner sur la musique, allant jusqu'à interdire à d'autres musiciens que lui de créer des opéras ! Racine ou Molière auront aussi des relations, sinon d'amitié, du moins de proximité, avec le roi.

Louis XIV est également admiratif de deux grands militaires de l'époque : Condé, sorte de star, et Turenne, qui sera son mentor pour les choses militaires. Colbert et Louvois ont toute la confiance du roi, sans qu'on puisse dire qu'ils sont ses amis. Disons qu'ils sont ses fidèles collaborateurs. Et quand Louvois va mourir, alors que Colbert est déjà décédé depuis longtemps, le roi va décider, à 53 ans, de ne pas reprendre de ministres aussi importants et, cette fois-ci, de gouverner pratiquement seul, ne s'entourant que d'habiles techniciens.

Commence alors la dernière période du règne, une vingtaine d'années marquées par des famines, des dérèglements climatiques, une guerre qui n'en finit plus, et des morts, des morts, des morts, dans l'entourage du roi...

SOLEIL COUCHANT

Ça y est, le roi est vieux. De toute façon, depuis qu'il a dépassé la cinquantaine, sa mauvaise hygiène de vie (et peut-être aussi les traitements des médecins) a accéléré son vieillissement. Il mange trop, beaucoup trop. Mais c'est presque sa fonction qui l'y oblige. Il doit toujours montrer à la cour qu'il a de l'appétit, qu'il est en forme, qu'il est habile à la chasse. Un soleil ne peut pas être fatigué.

Le royaume, lui aussi, est fatigué. Le règne est interminable, on ressent le besoin d'un vrai changement de mentalités alors qu'il n'y a que des réformettes. Tout le monde n'est pas pauvre, loin de là. Certains paysans s'en

LA GANGRÈNE ? UNE AMPUTATION ? MAIS NON, MAJESTÉ...
UNE PURGE, UNE SAIGNÉE, ...
UN EMPLÂTRE PUIS UN PETIT BOUILLON ET VOUS SEREZ SUR PIED !

sortent même plutôt bien. Mais le pays est trop dépendant du climat. Il suffit d'une première mauvaise récolte, d'un gros coup de gel ou d'une pluie trop importante pour que tout se dérègle. On est alors au cœur de ce qu'on a appelé "le petit âge glaciaire", un refroidissement général de l'Europe. Particulièrement en 1693 et 1694 où se suivent deux mauvaises récoltes dues au mauvais temps ; c'est une des famines les plus importantes que la France ait connues. On revoit des loups aux abords des villages, qui mangent les petits bergers... Des bandes de vagabonds errent sur les routes, se font bandits ou mendiants. La seule réponse du pouvoir est d'enfermer tous ces gens dans des hôpitaux, ou de les envoyer aux galères. Le corsaire Jean Bart devient un héros en convoyant des navires chargés de blé pour nourrir Paris.

Une fois cette crise passée, Louis XIV s'engage à nouveau dans une guerre longue,

éprouvante, où le territoire national est menacé. C'est la guerre de succession d'Espagne. Le roi d'Espagne, malade et sans enfants, va mourir. Il doit choisir son successeur parmi les plus grandes familles d'Europe. Louis XIV réclame la couronne pour son deuxième petit-fils, Philippe. Ce n'est pas complètement illogique, vu que Louis XIV était marié à Marie-Thérèse d'Autriche, fille d'un précédent roi d'Espagne. Mais au moment de ce mariage, Louis avait dû renoncer à tout droit sur le trône d'Espagne, en échange d'une grosse somme d'argent.

Cette somme n'ayant jamais été réglée en intégralité par le pouvoir espagnol, Louis XIV estime qu'il peut sans problème rompre l'accord et mettre son petit-fils sur le trône d'Espagne. Ce serait le couronnement de sa politique étrangère : faire en sorte que la France ne soit plus encerclée par des royaumes hostiles.

Débute alors une guerre qui n'en finit pas. Presque toute l'Europe est contre Louis XIV. Aucun pays ne souhaite voir un Bourbon (le nom de famille des rois de France) réunir ces deux royaumes. Le conflit, de fait, ne se terminera qu'en 1714 avec, si l'on veut, la victoire de la France. Le petit-fils de Louis XIV est reconnu roi d'Espagne sous le nom de Philippe V mais, en échange, il renonce à ses droits de succession pour le royaume de France.

D'ailleurs, tout le monde n'a que cette question aux lèvres depuis quelques années : qui sera roi après Louis XIV ? Normalement, la réponse est simple : son fils. Oui mais voilà, le fils Louis meurt en 1711. Pas de problème, ce sera son petit-fils. Oui mais voilà, le petit-fils Louis meurt en 1712. Et son fils de 5 ans avec lui. Et son frère deux ans plus tard. Dans la famille royale, entre variole, rougeole et chute de cheval, c'est une véritable épidémie. Il ne reste plus qu'un enfant malade de 2 ans, arrière-petit-fils du roi, sauvé par sa nourrice.

Louis XIV sait bien qu'il mourra alors que l'enfant sera trop jeune pour régner. Qui sera régent ? Il n'y a plus de reine, plus de femme, de Dauphin, plus personne ! Logiquement, la régence doit être confiée au plus proche parent du roi : Philippe d'Orléans, son neveu, le fils de Philippe d'Orléans, le frère du roi. Un bonhomme intelligent, fin, modéré, qui a la stature d'un homme d'État. Et un amoureux de la vie, des bonnes bouffes, du bon vin et des femmes.

Louis XIV n'a que moyennement confiance en son neveu : il a peur qu'il ne s'installe sur le trône définitivement, au détriment du petit garçon, le futur Louis XV. Alors, il va faire un drôle de truc : il va légitimer ses bâtards, comme on dit à cette époque : c'est-à-dire qu'il reconnaît à ses enfants nés de ses maîtresses le droit de lui succéder un jour. Évidemment, la première chose que fera le régent Philippe sera de casser ce testament.

Et Louis XIV ? Ça fait soixante-douze ans qu'il est roi, quasiment toute sa vie. C'est un des rois dans l'histoire du monde qui a régné le plus longtemps. Il va mourir. Il meurt. Il est mort. Vive le roi. Un petit garçon timide de 5 ans est le nouveau roi. Il n'a plus ni père, ni mère, ni frère, ni grands-parents, ni rien. Il a une couronne et c'est tout. Il va succéder au Roi-Soleil.

CONCLUSION

C'est compliqué de parler de Louis XIV aujourd'hui, en 2013, parce qu'il ne ressemble à aucun modèle récent. Ce n'est absolument pas un dictateur ou un tyran tel qu'on l'entend à notre époque, ou tels qu'ils ont existé au XXe siècle. Son culte de la personnalité n'est pas comparable à celui instauré par Staline, Mao, Mussolini ou autres chefs d'État autoritaires, de droite comme de gauche. Louis XIV ne s'est pas créé un personnage au-dessus des autres. Au-dessus, il l'était de toute façon naturellement, n'ayant de comptes à rendre qu'à Dieu lui-même, certainement pas aux hommes. Et surtout, il a fait en sorte que tout tourne autour de lui. Comme les astres tournent autour du Soleil.

D'où cette image forte qui a traversé les siècles de Roi-Soleil.

On pourrait penser à Napoléon dans cette fuite en avant guerrière, cette façon de susciter des coalitions de tous les pays d'Europe contre la France. Chez Louis XIV, chaque guerre ne préparait pas à la paix, mais à la guerre suivante. Comme s'il avait un plan en tête qu'il voulait réaliser. Mais si le territoire français en lui-même a peu souffert de ces guerres, il faut compter avec le coût économique énorme des conflits et, bien sûr, avec le sacrifice de milliers de jeunes gens partis mourir loin de chez eux. Pourtant, aujourd'hui encore, la France profite du gain de ces conflits : la région Nord Pas-de-Calais, l'Alsace, la Franche-Comté sont françaises depuis Louis XIV.

Le bonheur des peuples est, à l'époque, le dernier des soucis d'un roi. Tout au plus, il se voit comme un père veillant sur ses petits. Un roi pense à l'honneur, à la grandeur, à défendre le catholicisme, à transmettre son royaume renforcé à son successeur. Le bonheur ou la liberté, ce n'est vraiment pas le propos.

Autoritaire, Louis XIV ? Même pas. Tout le monde s'accorde à dire qu'il est très aimable en privé, prévenant, bienveillant. Il a construit autour de lui un théâtre dont il est à la fois le sujet, l'acteur principal, le metteur en scène et le producteur.

En fait, Louis XIV ne peut être comparé à personne de connu. Son statut, son modèle, son essence même, c'est d'être roi. Il est roi jusqu'au bout des ongles, des pieds à la tête, de sa naissance à sa mort. Il a eu peut-être plus que n'importe qui la conscience de ce qu'il était : l'homme le plus roi du monde. Le roi absolu.

Chronologie

1638 : Naissance de Louis XIV.
À cette époque, Charles Ier est roi d'Angleterre, Philippe IV le Grand est roi d'Espagne, Michel Ier tsar de Russie, Ferdinand III empereur germanique.
Il y a environ 20 millions d'habitants en France.

1639 : Naissance de Racine.

1640 : Naissance de Philippe d'Orléans, son frère.

1642 : Mort de Richelieu, de Marie de Médicis (sa grand-mère) et de Galilée.

1643 : Mort de Louis XIII, son père (Louis-Dieudonné a presque 5 ans).

1648 : Début de la Fronde.

1649 : En Angleterre, en pleine guerre civile, exécution du roi Charles Ier.

1651 : Louis XIV est déclaré majeur, il a 13 ans.

1653 : Fin de la Fronde.

1654 : Il est sacré roi de France.

1655 : Mort de l'écrivain et aventurier Cyrano de Bergerac.

1658 : Massacre et disparition des derniers Indiens Caraïbes en Martinique.

1659 : Séparation d'avec Marie Mancini (il a 21 ans).

1660 : Mariage avec Marie-Thérèse, la fille du roi d'Espagne (il a 22 ans).

1661 : Mort de Mazarin. Colbert devient ministre des Finances. Fouquet est arrêté. Naissance du fils de Louis XIV, Louis.

1664 : Les Anglais conquièrent la Nouvelle-Amsterdam hollandaise et appellent la ville New York.

1668 : Premier volume des *Fables* de La Fontaine.

1670 : Molière crée *Le Bourgeois gentilhomme*.

1673 : Mort de Molière.

1681 : Début des dragonnades pour convertir de force les protestants.

1682 : Louis XIV, à 44 ans, s'installe à Versailles.

Cavelier de La Salle explore un immense territoire en Amérique du Nord, qu'il nomme Louisiane en hommage à Louis XIV.

1683 : Mort de la reine Marie-Thérèse et de Colbert. Louis XIV se marie avec Mme de Maintenon.

1685 : Révocation de l'édit de Nantes.

Naissance de Jean-Sébastien Bach.

1695 : Mort de Jean de La Fontaine.

1715 : Mort de Louis XIV.

George Ier est roi d'Angleterre, Philippe V, le petit-fils de Louis XIV, est roi d'Espagne, Pierre le Grand, tsar de Russie, et Charles IV empereur germanique.

Pour aller plus loin...

LES FILMS SUR LOUIS XIV

Le roi danse, un film de Gérard Corbiau, avec Benoît Magimel, 2000. Les relations entre le jeune Louis XIV et le musicien amoureux Lully.

La Reine et le Cardinal, un téléfilm de Marc Rivière, 2009. La jeunesse de Louis XIV avant, pendant et après la Fronde. Ce téléfilm est centré sur les relations entre Mazarin et Anne d'Autriche, avec Philippe Torreton dans le rôle de Mazarin.

L'Allée du roi, une adaptation pour la télévision du roman de Françoise Chandernagor, réalisée par Nina Companeez en 1995. La vie de Mme de Maintenon, et sa relation amoureuse avec Louis XIV.

Louis enfant-roi, un film de Roger Planchon, 1993. Un petit bijou sur l'enfance du roi et de son frère.

Molière, un film d'Ariane Mnouchkine, 1978. Un chef-d'œuvre où on voit la vie quotidienne de la troupe de Molière.

LES LIVRES SUR LOUIS XIV

Objectif Versailles, le guide des visites en famille, un livre de Brünhilde Jouannic et Liliana Tinaco, illustré par Toni Duran, Actes Sud Junior, 2009.

Bien sûr, une visite du **château de Versailles** s'impose.

Reproduit et achevé d'imprimer en août 2013 par l'imprimerie XL Print
à Saint-Étienne pour le compte des éditions ACTES SUD,
Le Méjan, Place Nina-Berberova, 13200 Arles.

Dépôt légal - 1re édition : septembre 2013 - N° imprimeur : P055904D
(Imprimé en France)